El Profeta Muhammad

La paz sea con Él

Una historia resumida del último y definitivo profeta de Dios desde su nacimiento hasta su muerte

POR The Sincere Seeker Collection

Índice de contenidos

Introducción al envío de mensajeros y profetas por parte de Dios y por qué debemos estudiar sobre el profeta Muhammad La paz sea con Él

¿Cómo podría uno conocer su papel y el propósito de su vida a menos que reciba instrucciones claras y prácticas de lo que Dios quiere y espera de él o ella? De ahí la necesidad de la Profecía. Así, Dios ha enviado miles de Mensajeros y Profetas a la humanidad para transmitir Su Mensaje y comunicarnos. Cada nación de la Tierra recibió un Profeta. Todos ellos predicaron el mismo Mensaje general de que sólo hay una deidad digna de adoración. Él es el Único Dios, sin compañero, hijo, hija o igual. Dios envió Mensajeros y Profetas para guiar a la humanidad para que dejara de adorar a los seres creados y adorara a su Creador, el Creador de todas las cosas. Los Profetas vinieron a enseñar a su pueblo quién es su Creador, cómo construir una relación con Él y cómo amarlo. Los Profetas enseñaron a su pueblo que la vida es sólo una prueba, en la que los que tienen éxito entrarán en el Paraíso eternamente, y los que no tienen éxito entrarán en el castigo final en la otra vida.

Por la Infinita Misericordia y Amor de Dios, Dios continuó enviando Mensajeros con Libros de Dios para guiar a la humanidad - comenzando con el Profeta Adán, incluyendo a Noé, Abraham, Ismael, Jacob, Moisés, el Profeta Jesús y el Profeta Muhammad, la paz sea con todos ellos. Muchos de los Profetas se encuentran en las tradiciones judía y cristiana. Todos los Mensajeros y Libros anteriores, aparte del Sagrado Corán y el Profeta Muhammad, fueron enviados sólo a un grupo específico de personas y sólo debían ser seguidos durante un período determinado. Por ejemplo, el Profeta Jesús, La paz sea con Él, fue uno de los más poderosos Mensajeros de Dios, que fue enviado con el mismo Mensaje general de todos los Profetas anteriores, pero sólo fue enviado a los Hijos de Israel -la nación que vivió antes que nosotros- como su último Profeta porque estaban desobedeciendo los mandamientos de Dios y desviándose de las leyes enviadas por el Mensajero anterior, Moisés, La paz sea con Él.

Cada vez que Dios enviaba Mensajeros con la Revelación, después de su paso, la gente distorsionaba y cambiaba las Revelaciones de Dios. Lo que era pura Revelación de Dios, se contaminaba con mitos, palabras de hombres, supersticiones, ideologías filosóficas irracionales y adoración de ídolos. La religión de Dios se perdió en una plétora de religiones. Tal como el Profeta Jesús, La paz sea con Él, fue enviado para reformar el anterior Mensaje enviado antes que él por el anterior Mensajero, Moisés, La paz sea con Él. El Profeta Muhammad vino a reformar el Mensaje del Profeta Jesús ya que fue distorsionado por sus seguidores y no sobrevivió en su forma original.

Cuando la humanidad se encontraba en lo más profundo de las edades oscuras, Dios Todopoderoso envió a su último Mensajero a la humanidad, el Profeta Muhamad, La paz sea con Él, y su última Revelación, el Sagrado Corán, para redimir a la humanidad. El Sagrado Corán y el último Mensajero, La paz sea con Él, afirmaron todo lo que fue revelado a todos los Mensajeros anteriores en el pasado. A diferencia de los Mensajeros y Libros anteriores, el Profeta Muhammad, La paz sea con Él, fue enviado a toda la humanidad, y no habrá ningún Mensajero o Profeta después de él, ni habrá un Libro después del Sagrado Corán, ya que ambos están destinados a ser seguidos por toda la gente, no sólo por un grupo particular de personas, ni están destinados a un marco de tiempo particular; ambos están destinados a ser seguidos por todos hasta el final de los tiempos.

El Profeta Muhammad-Una historia resumida del Último y Definitivo Profeta de Dios tiene como objetivo presentar al Profeta Muhammad, La paz sea con Él, derivado de las primeras fuentes islámicas, ayudándole a comprender mejor quién fue el Profeta Muhammad, La paz sea con Él e inculcarle el amor por él. Estudiar la historia y la vida del Profeta Muhammad, La paz sea con Él, es la mejor manera de desarrollar ese amor por nuestro Profeta. Estudiar la vida del Profeta Muhammad, La paz sea con Él, es una obligación que nos ha dado nuestro Creador y nos ayuda a entender mejor el último Libro de Dios, el Sagrado Corán, y su contexto. Estudiamos la vida de nuestro último Profeta para extraer de su vida lecciones y moralejas que nos ayuden a vivir mejor nuestras vidas. Dios lo envió como el modelo perfecto para nosotros, que enseñó y demostró la moralidad y la forma más elevada de carácter que se puede tener. Aprendemos sobre él para poder seguirlo y emularlo para mejorar y acercarnos a Dios.

Para ser justos con Dios, con Su religión y con usted mismo, su opinión sobre el Islam, el Sagrado Corán y el Profeta Muhammad, La paz sea con Él, debe formarse sólo después de un estudio cuidadoso de las fuentes islámicas -el Sagrado Corán y los Hadices-, los dichos del Profeta Muhammad, La paz sea con Él, y no de los medios de comunicación o de terceras fuentes que no sean de origen musulmán.

La tierra de La Meca está llena de ídolos y de adoración de ídolos

El Profeta Muhammad, La paz sea con Él, nació en La Meca en el año del Elefante. La Meca es el hogar de la Kaaba, la primera casa de culto construida en la Tierra por el Profeta Abraham y su hijo Ismael, la paz sea con Él. Mientras ambos construían la Kaaba, el Profeta Abraham, La paz sea con Él, hizo una oración a Dios para que enviara un Profeta en la progenie de su hijo Ismael, que les recitara los Signos de Dios (Versos) y les enseñara el Libro y la Sabiduría y los purificara. Esta oración se cumplió cuando Dios envió al Profeta Muhammad, La paz sea con Él, como su último Mensajero, que era de la progenie de su hijo Ismael, La paz sea con Él.

Antes de que el Profeta Muhammad se convirtiera en profeta, mucha gente de La Meca adoraba a los ídolos y creía que éstos tenían el poder de interceder por ellos. Era una época llena de ignorancia, insensatez y desorientación. En aquella época, Arabia era una nación atrasada que no contaba con infraestructuras, monumentos, una gran civilización, ni un gobierno unificado ni ley y orden. Tampoco tenían literatura escrita, y muchos no sabían leer ni escribir. Habían convertido la Kaaba, que fue dedicada y construida para el servicio del Único Dios Verdadero, Alá, el Glorioso, en un lugar de adoración de ídolos.

El ángel Gabriel abre el pecho del profeta Mahoma y le lava el corazón

Lamentablemente, el padre del Profeta Muhammad murió antes de que éste naciera, y fue criado por su madre. En aquella época, era costumbre que los árabes que vivían en las ciudades enviaran a sus hijos pequeños al desierto para que vivieran con una nodriza y una tribu de beduinos durante unos años, para que se hicieran más fuertes y sanos en el duro clima, aprendieran las costumbres del desierto, aprendieran de sus modales y representara una vuelta a sus raíces. En un principio, nadie quiso tomar al Profeta Muhammad, La paz sea con Él, como niño para amamantarlo porque era huérfano y no habrían obtenido mucho dinero de él. Entonces la madre del Profeta Muhammad, Aminah, acabó enviando a su hijo a vivir con una señora pobre llamada Halima y su marido para que pasara un par de años más o menos en el desierto. En cuanto trajeron al Profeta Muhammad, La paz sea con Él, de niño, empezaron a ver milagros a su alrededor. Su vieja cabra, que había dejado de producir un tiempo atrás, empezó a producir leche de nuevo, y su camello, que era débil y lento, ganó fuerza y velocidad.

Mientras el profeta Mahoma, La paz sea con Él, estaba jugando con sus hermanos de acogida, el ángel Gabriel bajó con forma humana. Los otros niños lo vieron y corrieron gritando aterrorizados hacia Halima y su marido, pensando que el Profeta Muhammad estaba siendo secuestrado. El Profeta Muhammad tenía cuatro años más o menos en ese momento y estaba asustado pero no gritó. El Ángel Gabriel le obligó a tirarse al suelo mientras el Profeta Muhammad luchaba por soltarse, pero el Ángel Gabriel le dominó. El Ángel Gabriel sacó un utensilio de oro con una bandeja de oro llena de agua de Zam-Zam y empezó a abrirle el pecho y a sacarle el corazón para lavarlo. El Ángel Gabriel sacó un coágulo de sangre negra y lo tiró, diciendo, '*esta es la porción de Shaytan (el Diablo).* ' Sacó la raíz de todos los pecados, liberando al Profeta Muhammad de las influencias malignas, ya que Alá, el Glorioso, quería proteger al Profeta Muhammad de Shaytan (Diablo) y de los pecados. Luego lo volvió a coser.

Halima y su marido corrieron hacia el Profeta Muhammad, cuyo rostro estaba pálido por el miedo. El marido de Halima lo consoló con un abrazo y lo llevó a descansar. Se dieron cuenta de que este niño tenía algo especial y decidieron que lo mejor era devolverlo a su madre, Aminah, en La Meca. Vivió con ella durante un corto periodo de tiempo, y luego, tristemente, ella falleció por enfermedad cuando regresaba de la ciudad de Yathrib, que más tarde se llamaría Medina.

Su cariñoso abuelo Abdul Muttalib acabó criándolo durante dos años. Quería al Profeta Muhammad más que a sus propios hijos. El Profeta Muhammad, La paz sea con Él, observaría y aprendería de su abuelo lo que sería ser el líder de los árabes, ya que su abuelo era el más prestigioso y principal estadista de Quraish, la tribu gobernante y custodio de La Meca.

A la edad de 8 años, el abuelo del Profeta Muhammad fallece, y el cargo del Profeta Muhammad pasó a su tío Abu Talib, que era el hermano del padre del Profeta Muhammad. Su tío también lo amaba y lo prefería por encima de sus hijos. Ser huérfano enseñó al Profeta Muhammad sabiduría y le ayudó a madurar rápidamente, y aprendió a ser independiente. Experimentó y aprendió de sus primeras dificultades, y eso le ayudó a prepararse para soportar la dura vida y las batallas por las que pasaría más tarde.

El matrimonio del Profeta Muhammad con su esposa, Jadiya, la paz sea con ella

De joven, el Profeta Muhammad trabajó como pastor para la gente de La Meca, lo que le reportó un pequeño salario al igual que los Profetas anteriores que fueron pastores en su época. Trabajar como pastor le enseñó al Profeta Muhmmad el arte de la paciencia y cómo tratar y manejar ovejas con diferentes personalidades, lo que ayudaría a un futuro líder a tratar con personas con diferentes personalidades. El Profeta Muhammad, La paz sea con Él, no creció como muchos otros consumiendo alcohol y otras cosas perjudiciales para el alma o el cuerpo, ni tampoco adoró nunca a los ídolos. Creció forjándose una reputación de persona honesta y digna de confianza. A los veinte años, debido a su madurez y carácter, fue invitado a participar en el órgano legislativo de la tribu con los líderes de la misma. Siguió trabajando como pastor para más gente.

Jadiyah, la paz sea con ella, era la mujer de negocios más rica de La Meca, que heredó mucho dinero de su marido, que falleció. Era conocida por su pureza, nobleza, sabiduría y fortuna. Su hermana tenía un rebaño de camellos y contrató al Profeta Muhmmad, junto con otra persona. Cuando el trabajo se completó, la otra persona que fue contratada con el Profeta Muhmmad le dijo al Profeta Muhammad que debían ir a recoger su salario por el trabajo. El Profeta Muhammad le preguntó si podía ir solo porque era demasiado tímido. Khadijah escuchó a su hermana alabar al Profeta Muhammad por su nobleza, integridad, amabilidad, buenos modales, timidez y otras buenas cualidades.

Como Jadiyah, la paz sea con ella, era una dama, no podía participar en las transacciones y comercios en persona y, en cambio, invertía en sociedades comerciales que iban a Siria y Yemen enviando hombres para que fueran en su nombre y les pagaba una fracción de las ganancias. Sin embargo, a menudo se encontraba con que recibía menos beneficios de los que debía porque los hombres que contrataba se embolsaban parte de las ganancias. Decidió emplear al Profeta Muhammad para que llevara su mercancía a Siria, a pesar de que éste no tenía experiencia. Antes de aceptar el trabajo, pidió permiso a su tío, que le dijo que sí. Cuando el Profeta Muhammad regresó a La Meca, notó que triplicaba las ganancias y las bendiciones que solía recibir. Quedó muy impresionada con su carácter y su trato.

El Profeta Muhammad, La paz sea con Él, se labró una reputación de persona honesta, fiable, modesta y de buen carácter, a pesar de que esto era raro de encontrar en La Meca en aquella época. Su comunidad lo conocía como *"el veraz, el digno de confianza"* y todos los miembros de su comunidad confiaban en él, incluso los que no lo querían.

Jadiyah, la paz sea con ella, había enviudado dos veces, y muchos hombres de su tribu le habían propuesto matrimonio, pero ella no aceptó ninguna propuesta, ni pensaba en volver a casarse. Un amigo mayor de Khadijah se acercó al Profeta Muhammad y le insinuó que Khadijah estaba interesada en casarse con él. Jadiyah era mayor que el Profeta Muhammad, y éste tenía unos 25 años. El Profeta Muhammad estaba interesado en casarse con Jadiyah, así que pidió permiso a su tío, que pensó que era una buena idea por el tipo de persona que era Jadiyah. Tuvieron un hermoso matrimonio lleno de amor y comprensión. Jadiyah apoyó al Profeta Muhammad en sus años difíciles. Tuvieron seis hijos juntos; tres hijos y tres hijas. Todos los varones murieron en la infancia.

Su esposa Jadiyá, la paz sea con ella, regaló al Profeta Muhammad un joven sirviente llamado Zaid que había sido traído como cautivo a La Meca y vendido a Jadiyá, la paz sea con ella.

Cuando el padre de Zaid se enteró de que su hijo Zaid estaba en posesión del Profeta Muhammad, viajó a La Meca para ofrecer al Profeta Muhmmad una gran cantidad por su hijo. El Profeta Muhammad, La paz sea con Él, le dijo al padre de Zaid que si Zaid aceptaba volver con él, podría llevárselo sin coste alguno. Zaid eligió quedarse con el Profeta Muhmmad porque se querían mucho y lo trataba como a su propio hijo. En cuanto el Profeta Muhmmad, La paz sea con Él, se enteró de que Zaid había elegido quedarse, agarró a Zaid de la mano y se dirigió a la piedra negra de la Kaaba y anunció públicamente que había adoptado a Zaid. El padre de Zaid regresó a su casa, contento de que su hijo estuviera en buenas manos y fuera feliz.

Reconstrucción de la Kaaba tras la inundación

A los 35 años, una inundación destruyó la Kaaba y hubo que reconstruirla. Cada tribu de La Meca era responsable de reconstruir una parte de la Kaaba. La Piedra Negra, un objeto sagrado que fue enviado desde el Paraíso dentro de la Kaaba, fue retirada para la renovación y debía ser colocada de nuevo en la Kaaba. Los líderes de La Meca estuvieron en desacuerdo durante 5 días, y casi se derramó sangre, tratando de determinar qué clan tendría el honor de volver a colocar la Piedra Negra en su lugar original. Llegaron a la conclusión de que el siguiente hombre que entrara elegiría quién volvería a colocar la Piedra Negra en su lugar original.

Esa persona resultó ser el Profeta Muhammad, La paz sea con Él. En lugar de elegir a una persona o clan en particular para colocar la Piedra Negra en su lugar original, el Profeta Muhammad, La paz sea con Él, pidió un paño en el que colocó la Piedra Negra en el centro e hizo que el líder de cada clan sostuviera una esquina del paño y lo llevaran juntos a la Kaaba. Entonces el Profeta Muhammad, La paz sea con Él, colocó la Piedra Negra con sus dos manos en su lugar original, y todos los clanes quedaron satisfechos.

Esto demostró y simbolizó el futuro del Profeta Muhammad, La paz sea con Él, y cómo pronto unificaría a las tribus árabes bajo una sola bandera del Islam, al igual que las unificó en este momento sin ningún conflicto ni derramamiento de sangre. También demostró y simbolizó que el Profeta Muhammad, La paz sea con Él, sería el que unificaría la religión del Profeta Abraham, La paz sea con Él, después de que ésta fuera destruida.

El ángel Gabriel desciende ante el Profeta Muhammad para revelar los primeros versos del Sagrado Corán

Cuando el Profeta Muhammad, La paz sea con Él, caminaba, oía que las rocas y las piedras le saludaban. El Profeta Muhammad, La paz sea con Él, también veía sueños agradables, que se hacían realidad cuando se despertaba. El Profeta Muhammad tenía la costumbre de recluirse en una cueva llamada Hira porque sentía que le faltaba algo en su vida, y no sabía qué era. Aunque tenía una buena esposa e hijos, una buena vida y un buen estatus en la sociedad, sentía que le faltaba algo. Sabía que tener esto solo no da la felicidad. Iba a la Cueva de Hira para contemplar la vida, este Universo y este mundo. Meditaba, meditaba, reflexionaba profundamente y se preguntaba cómo adorar a Alá.

Cuando el Profeta Muhammad, La paz sea con Él, tenía 40 años, durante el mes de Ramadán, el Ángel Gabriel sorprendió al Profeta Muhammad en la cueva y le exigió que leyera, aunque no sabía leer ni escribir. El Profeta Muhammad, La paz sea con Él, respondió: *'No sé leer'.* ' Entonces el Ángel Gabriel apretó tanto al Profeta Muhammad que le hizo perder toda su energía. El Ángel Gabriel repitió la petición dos veces más en las que el Profeta Muhammad tuvo la misma respuesta. El Ángel Gabriel agarró al Profeta Muhammad con una fuerza abrumadora y luego lo soltó de nuevo. Entonces la primera Recitación del Sagrado Corán fue revelada al Profeta Muhammad a través del Ángel Gabriel; 'Recita *en el nombre de tu Señor que creó -Creó al hombre de una sustancia aferrada. Recita, y tu Señor es el Más Generoso -Quien enseñó por medio de la pluma -Enseñó al hombre lo que no sabía'* (Corán 96:1-5) Fue el comienzo de Alá la Gloriosa primera Revelación enviada a través del Ángel Gabriel a la humanidad significó hasta el final de los tiempos.

El Profeta Muhammad se apresuró a volver a casa con su solidaria esposa atemorizada y le pidió que lo cubriera. Ella lo cubrió rápidamente con un manto. Cuando el Profeta Muhammad se calmó un poco, le contó lo que había pasado y que estaba asustado. Ella le respondió consolando a su marido con la siguiente frase: *"Dios nunca te humillará, ya que eres bueno con tu familia, asumes la carga de los demás y ayudas a los necesitados".*

Entonces Khadijah lleva al Profeta Muhamad a su primo Waraqah, un erudito bíblico de la época, y le contó lo que había sucedido. Entonces se dio cuenta de que el Profeta Muhammad es el Profeta esperado en el que el Evangelio profetizaba y concluyó que el que visitó al Profeta Muhammad era en realidad el Ángel Gabriel.

El Profeta Muhammad siguió recibiendo Revelaciones durante el resto de su vida. Estas Revelaciones fueron memorizadas y escritas por los compañeros del Profeta y posteriormente fueron recopiladas para formar el Sagrado Corán que tenemos hoy.

El Profeta Muhammad difunde y predica el Islam en privado y luego en público

El Profeta Muhammad, La paz sea con Él, estaba caminando y escuchó un sonido, así que miró hacia los Cielos y vio al Ángel Gabriel sentado en un trono en los Cielos y la Tierra. El Profeta Muhammad se aterrorizó de nuevo y se apresuró a ir a casa con su esposa y le pidió que lo cubriera. Entonces el Ángel Gabriel reveló la segunda Revelación del Sagrado Corán: "*Oh, tú que te cubres [con una prenda], Levántate y advierte, Y glorifica a tu Señor, Y purifica tu ropa, Y evita la impureza, Y no confieras favor para adquirir más, Sino para tu Señor sé paciente*" (Corán 74:1-7).

Durante los primeros tres años, el Profeta Muhammad comenzó a difundir el Mensaje del Islam de forma privada, uno a uno, a su familia cercana y a los amigos que él pensaba que estarían interesados en el Islam, liberándolos de las prácticas de sus antepasados y de la adoración de falsos dioses, y aún no hizo público el Mensaje. El Profeta Muhammad, La paz sea con Él, enseñó y predicó que sólo hay un Dios verdadero que merece ser adorado y alabado, y que todos los demás dioses, incluidos los ídolos, son falsos y sólo son creaciones de Dios, no el propio Creador. Les enseñó que el que creyera en Dios y viviera una vida recta tendría una buena vida en este mundo y se le concedería el Paraíso en la otra vida, en la que viviría para siempre. También advirtió a los que no creían en Dios que vivirían una mala vida en este mundo y serían castigados severamente en el otro mundo.

La primera persona que aceptó el Mensaje del Islam fue su esposa Khadija, así como su prima Waraqah. El primer esclavo en convertirse fue Zaid, el primer niño en convertirse fue su primo Ali bin Abi Talib, y el primer adulto libre en convertirse fue su mejor amigo Abu Bakr As-Siddiq, la paz sea con todos ellos.

Después de tres años de lucha secreta para difundir el Islam entre sus compañeros cercanos, el Profeta Muhammad convirtió a 30 personas. Entonces Dios instruyó al Profeta Muhammad para que diera a conocer y difundiera el Mensaje del Islam al público y para que hablara contra la idolatría y la adoración de falsos dioses a la gente de La Meca, y más tarde para que difundiera el Mensaje más allá de La Meca. Khadijah, la paz sea con ella, apoyó el surgimiento del Islam con su riqueza proporcionando alimentos, agua y medicinas para los musulmanes.

Los idólatras de La Meca persiguen y acosan a los creyentes

El Profeta Muhammad y sus primeros seguidores,' la paz sea con ellos, eran perseguidos y acosados por los adoradores de ídolos de su tribu, la tribu Quraishi de La Meca. Los adoradores de ídolos los degradaban, se burlaban de ellos y los ridiculizaban. Llamaban al Profeta Muhmmad loco, mentiroso, hechicero, mago y poseído por un Jinn. Impedían que el Profeta Muhammad y los musulmanes rezaran en la Casa Sagrada de Alá, la Kaaba, y los cubrían de tierra y suciedad cuando rezaban.

No podían matar al Profeta Muhammad personalmente, ya que era el nieto de Abdul Muttalib, que se encontraba entre la élite de la tribu de Banu Hashim, y era una estricta costumbre y una ley suya proteger la sangre noble.

A pesar de todas las burlas, el Profeta Muhammad continuó predicando y enseñando el Mensaje del Islam a los árabes de La Meca de manera gentil. Les advirtió que si continuaban adorando a otros dioses además de Alá y no seguían el camino de Alá, se enfrentarían a un grave castigo como hicieron las naciones anteriores, que también desobedecieron a Alá y a Sus Mensajeros.

Los adoradores de ídolos de La Meca le dijeron al Profeta Muhammad, si realmente eres un Profeta de Dios, ¿por qué no partes la luna por la mitad, demostrando que eres un Profeta? El Profeta Muhammad, La paz sea con Él, respondió, si hago esto con la voluntad de Dios, ¿creerán entonces que soy un Profeta? Respondieron que sí. El Profeta Muhammad señaló entonces a la luna, y frente a sus ojos, la luna se partió por la mitad. Sin embargo, los adoradores de ídolos de La Meca se volvieron arrogantes, diciendo que les había cegado la verdad y que les había hechizado los ojos.

Cuando el pequeño número de musulmanes empezó a crecer en

número, los adoradores de ídolos de Quraish se alarmaron y se preocuparon porque su poder y prestigio estaban en peligro. Ellos eran los custodios de los ídolos en La Meca y recibían dinero de ellos, lo que también estaba en riesgo ahora que el Profeta Muhammad y los musulmanes estaban predicando para eliminarlos. Los no creyentes ofrecieron al Profeta Muhammad dinero, honores y un alto rango como líder en un intento de impedir que difundiera el Islam, lo que, por supuesto, rechazó. No le interesaba nada de eso y sólo quería difundir el Mensaje de Alá a la gente.

La gente de Quraish conspiró para detener el crecimiento de los musulmanes organizando una campaña de oposición a gran escala. Torturaron a los miembros de su familia que aceptaron el Islam como religión y forma de vida.

Cuando la persecución por parte de la gente de Quraish se hizo más severa e insoportable, algunos de los musulmanes decidieron emigrar a Abisinia (Etiopía) para buscar refugio en el reino del rey cristiano de Abisinia, que era un rey justo y recto que acogería a los musulmanes. Esto se conoce como la primera Hijrah (Migración) de los musulmanes. Más tarde, se les unirían más musulmanes que estaban siendo acosados.

Los adoradores de ídolos de La Meca se postran ante Alá

En Ramadán, el Profeta Muhammad recitó la Surah An-Najm (El Capítulo de la Estrella) del Sagrado Corán a una reunión que incluía a algunos de los adoradores de ídolos de alto rango de la tribu de Quraish en La Meca. Las palabras inspiradoras de Alá impactaron en los corazones de los oyentes, y los incrédulos se sintieron abrumados por la emoción y no pudieron evitarlo, sino que se inclinaron inconscientemente en postración. Los adoradores de ídolos que no estaban presentes se alteraron al escuchar lo sucedido. Los adoradores de ídolos que se postraron inventaron mentiras sobre lo sucedido para justificar por qué se postraron.

Las noticias de este incidente fueron muy exageradas y se comunicaron erróneamente a los musulmanes que emigraron a Abisinia, lo que les hizo pensar que los adoradores de ídolos de La Meca habían aceptado el Islam, por lo que emprendieron el camino de vuelta a La Meca. Cuando los musulmanes se acercaron a La Meca, descubrieron que este rumor no era cierto. Cuando llegaron a La Meca, algunos de los musulmanes viajaron de vuelta a Abisinia. Fue más difícil para ellos huir de nuevo a Abisinia ahora que los adoradores de ídolos eran más conscientes. Esta vez, los musulmanes que emigraron a Abisinia fueron cuatro veces más que la primera migración.

Algunos de los grandes nombres de La Meca aceptaron el Islam, entre ellos Umar ibn Al-Jattab y Hamza ibn Abdul-Muttalib, el tío del Profeta, la paz sea con ambos. Con el crecimiento de los musulmanes y la conversión al Islam de algunos grandes nombres, esto asustó a los adoradores de ídolos de La Meca. Después de muchos intentos de impedir que el Profeta Muhammad y los creyentes difundieran el Islam, y después de algunos intentos de convencer al tío del Profeta, Abu Talib, que había criado al Profeta y tenía un alto rango en la tribu, para que le dijera a su sobrino que se detuviera, los no creyentes recurrieron a sus viejas formas de perseguir y torturar a los musulmanes de una manera más severa que la primera vez.

Los adoradores de ídolos de La Meca celebraron una reunión y decidieron no involucrar a ninguno de los musulmanes en ningún matrimonio ni tener ningún trato comercial con ninguno de ellos, incluido Abu Talib, el tío del Profeta, aunque no había aceptado el Islam, simplemente porque no estaba de acuerdo en detener al Profeta Muhammad, La paz sea con Él. Los musulmanes tuvieron que huir a un valle abandonado durante un par de años debido al boicot, ya que los adoradores de ídolos de Quraish no les vendían comida, agua y ropa. Cuando se trasladaron al valle abandonado, no disponían de muchos recursos, lo que no era fácil. Más tarde, pudieron regresar a La Meca.

El año del dolor

Al año siguiente, calamidades consecutivas golpearon al Profeta Muhammad en dos meses. El querido tío del Profeta Muhammad, Abu Talib, que le había estado protegiendo contra sus enemigos, se sintió enfermo y estaba a punto de morir. Cuando Abu Talib estaba a punto de morir, el Profeta Muhammad entró en la habitación mientras Abu Jahl estaba allí, el enemigo del Islam, junto con otro. El Profeta Muhammad le dijo a su tío, Abu Talib, '*¡Oh, tío mío, di que no hay deidad digna de adoración excepto Alá!*' Abu Talib estaba a punto de decirlo, pero cada vez que estaba a punto de decirlo, Abu Jahl decía: '*¿Vas a dejar la religión de tu padre?*' Más tarde, Abu Talib falleció tristemente sin convertirse al Islam.

Unos cuarenta días después, la esposa del Profeta, Jadiyah, la paz sea con ella, que era un gran apoyo para él, también murió. Fue conocido como el año de la pena, un año muy duro y triste para el Profeta, La paz sea con Él. Al Profeta Muhammad no se le vio sonreír durante meses.

Más tarde, el Profeta Muhammad y su hijo adoptivo Zaid, viajaron a una ciudad llamada Taif para difundir el Mensaje del Islam y para encontrar la protección y el apoyo de otra ciudad, sólo para recibir la falta de respeto y el rechazo. También les lanzaron piedras, dejándolos ensangrentados, y luego les pidieron que regresaran a La Meca. Fue el día más difícil de la vida del Profeta Muhammad.

El Profeta Muhammad necesitaba emigrar a otra ciudad para protegerse. Se dirigió en secreto a diferentes tribus de las afueras de La Meca para difundir el Mensaje de Alá y encontrar una tribu que lo acogiera en su tierra y lo apoyara. El Profeta Muhammad se acercó a cinco personas de la ciudad de Yathrib (que luego se llamaría Medina) y les transmitió el Mensaje de Dios. Volvieron a su ciudad y difundieron la noticia entre su gente de que había surgido un Profeta entre los árabes, que iba a llamarlos a Dios y a poner fin a la adoración de sus falsos dioses. Más tarde, el Profeta Muhammad celebró un contrato de matrimonio con Aishah, la paz sea con ella.

El viaje nocturno y la ascensión del profeta Mahoma

En el duodécimo año de la misión del Profeta Muhammad, el Ángel Gabriel descendió hasta el Profeta Muhammad y le abrió el pecho una vez más para remover su corazón y lavarlo, para fortalecerlo ante lo que estaba por ver y experimentar, conocido como el Viaje Nocturno y la Ascensión (Isra wal Miraj en árabe). El Profeta Muhammad, La paz sea con Él, realizó un viaje nocturno desde Masjid Al-Haram en La Meca hasta Masjid Al-Aqsa en Jerusalén, en una bestia veloz, que era de color blanco puro llamada Al-Buraq, en compañía del Arcángel Gabriel. Cuando llegaron a su destino, ataron la bestia a un anillo en la puerta de la Mezquita. El Profeta Muhammad rezó dos unidades de oración y se dio la vuelta y encontró a todos los Profetas detrás de él. Dirigió a los Profetas en la Oración.

Después de visitar Masjid Al-Aqsa, ascendieron físicamente a los Cielos. El Ángel Gabriel partió con el Profeta Muhammad en el mismo caballo hasta que llegaron al primer cielo. Cuando llegaron a la puerta, el Ángel de la Guarda preguntó: *'¿quién es? El ángel Gabriel* respondió: 'es *Gabriel'.* ' Entonces la voz preguntó, '*¿Con quién estás?' A* lo que el Ángel Gabriel respondió: '*Muhammad'. La voz preguntó:* "*¿Han llamado a Mahoma? El ángel* Gabriel respondió: '*Sí'.* La voz respondió: '*Entonces es bienvenido, ¡qué excelente visita es ésta!* Entonces la puerta se abrió. El Profeta Muhammad vio al Profeta Adán allí en el primer Cielo. El Ángel Gabriel presentó al Profeta Adán al Profeta Muhammad, la paz sea con ambos. '*Este es tu padre, Adán, envíale tus saludos',* dijo el Ángel Gabriel al Profeta Muhammad. El Profeta Muhammad saludó al Profeta Adán. El Profeta Adán respondió con un saludo y dijo: '*Eres bienvenido, oh hijo piadoso y piadoso Profeta'.*

Luego el Ángel Gabriel y el Profeta Muhammad ascendieron al

segundo Cielo, luego al tercero, y luego al cuarto, quinto, sexto y séptimo Cielo, donde vieron y saludaron a otros Profetas de Dios, incluyendo al Profeta Juan (Yahya), y Jesús (Isa), José, Enoc (Idris), y Aarón (Harun), Moisés y Abraham, la paz sea con todos ellos.

Luego el Profeta Muhammad fue llevado a Sidrat-al-Muntaha, el Árbol de Lote más Remoto, donde sus frutos son como jarras, y sus hojas son tan grandes como las orejas de un elefante. También se le mostró Al-Bait-al-Ma'mûr (La Casa Muy Frecuentada), que se encuentra encima de la Ka'ba en el Séptimo Cielo, que tiene un grupo de 70.000 ángeles que la rodean, se van y no vuelven nunca más, siendo seguidos por el siguiente grupo de 70.000 ángeles y continuarán así hasta el Día del Juicio. El Profeta Muhammad, La paz sea con Él, fue entonces presentado a la Presencia Divina de Alá, el Glorioso, donde Alá nos emitió las cinco oraciones diarias. Cuando el Profeta Muhammad, La paz sea con Él, regresó, algunas de las personas creyeron en su historia, ya que conocían bien el Poder y la Habilidad de Dios, y otras no le creyeron y se burlaron de él, incluido uno de los mayores enemigos del Islam, Abu Jahl.

Los musulmanes emigran a la ciudad de Medina

Más tarde, el pueblo de Yathrib, que había hablado con el Profeta Muhammad el año anterior, se había convertido al Islam y regresó al Profeta Muhammad, prometiendo apoyarlo, y lo invitó a su ciudad, a lo que el Profeta Muhammad accedió. El Profeta Muhammad, La paz sea con Él, tenía familia en la ciudad de Yathrib y había viajado allí con su madre cuando era más joven justo antes de que ella falleciera. Ahora que los musulmanes tenían un lugar donde vivir sin persecución, muchos de ellos emigraron a Yathrib, que más tarde se llamó Medina. Unas cien familias emigraron silenciosamente de La Meca a Medina en secreto. Muchos de los inmigrantes musulmanes que viajaron antes a Abisinia también emigraron a Medina. El Profeta, su primo Alí y su amigo Abu Bakr permanecieron en La Meca por el momento. El Profeta esperaba instrucciones de Dios antes de emigrar.

Los adoradores de ídolos de La Meca temían el crecimiento y el poder de los musulmanes. Los veían como una amenaza para su religión y empezaron a pensar en la forma de matar al Profeta Muhammad, La paz sea con Él, a pesar de que eso iría en contra de sus leyes, ya que era inaudito matar a alguien de su propia sangre, especialmente en la tierra sagrada de La Meca. Cada tribu envió a uno de sus jóvenes a la casa del Profeta para matarlo. Entonces el Ángel Gabriel fue enviado al Profeta Muhammad para hacerle saber lo que los adoradores de ídolos de La Meca estaban tramando. El ángel Gabriel también informó al Profeta Muhammad de que tenía permiso de Alá para abandonar La Meca. Los enemigos del Profeta rodearon su casa, pero Alá les cubrió los ojos y los cegó, permitiendo al Profeta Muhammad escapar mientras recitaba versos del capítulo Yaseen del Sagrado Corán. El Profeta Muhammad y su compañero Abu Bakr huyeron a una cueva llamada Thor, donde pasaron 3 días.

Los adoradores de ídolos contrataron a alguien para que rastreara las huellas del Profeta Muhammad y así averiguar a dónde había ido. Los condujo a la cueva en la que se encontraban. Entonces, los adoradores de ídolos enviaron sus tropas a la cueva, y Abu Jahl estaba con ellos. El compañero del Profeta, Abu Bakr, le susurró al Profeta Muhammad que todo lo que tenían que hacer era mirar hacia abajo, y los verían. Entonces el Profeta Muhammad respondió: '*Oh Abu Bakr, ¿qué piensas de dos personas, Alá es el tercero de ellos?* ' Los adoradores de ídolos de La Meca no encontraron al Profeta Muhammad y a su compañero, así que se marcharon y ofrecieron a cualquiera que encontrara al Profeta Muhammad y a su compañero cien camellos en dinero de sangre, si los traían vivos o muertos. Pero el Profeta Muhammad y su compañero Abu Bakr huyeron a Medina.

Al llegar a Medina, la primera tarea del Profeta Muhammad fue construir una mezquita llamada Masjid Quba en el mismo lugar donde se arrodilló su camello. Era un terreno propiedad de dos huérfanos, y el Profeta Muhammad les compró el terreno. El Profeta Muhammad ayudó a sus compañeros a construir esta Mezquita llevando ladrillos y piedras mientras recitaba Versos del Sagrado Corán. Con la guía de Dios y del Corán, el Profeta Muhammad, La paz sea con Él, enseñó y predicó el modo de vida islámico a sus compañeros en Medina. Fue su guía, maestro, juez, consolador, árbitro, consejero y figura paterna para la nueva comunidad de Medina.

La migración de los musulmanes a Medina se conoce como "*La Hijra*" en árabe y posteriormente se adoptó como el inicio del calendario musulmán. Los que emigraron de La Meca a Medina se ganaron el título de *Muhajireen (los emigrantes). Los* musulmanes que vivían en Medina y acogieron y apoyaron a los emigrantes adoptaron el título de *'Los Ansar' (Los Ayudantes). El* Profeta Muhammad, La paz sea con Él, hizo un pacto de solidaridad religiosa mutua entre ambos grupos musulmanes.

Dos tribus árabes que gobernaban Medina, llamadas *Los Aws* y *Los Khazraj,* que estuvieron luchando constantemente entre ellos durante muchos años, y muchos de sus mayores habían muerto, pronto llegaron a la paz cuando el Profeta Muhammad entró en su ciudad. El Profeta Muhammad comenzó a celebrar tratados con otras tribus que vivían a su alrededor. El Profeta Muhammad hizo un pacto entre todas las tribus de Medina, incluidas las tribus judías y las tribus adoradoras de ídolos que vivían en la zona, para que se apoyaran mutuamente en la defensa de la ciudad contra un ataque. Por primera vez, los musulmanes tenían su propio estado.

Aproximadamente un año y medio después de que los musulmanes emigraran a Medina, la Qibla (la dirección en la que rezan los musulmanes) fue cambiada después de que el Profeta Muhammad, La paz sea con Él, hiciera una dua (súplica en la oración) a Alá, el Glorioso, para que cambiara la dirección de la Masyid Al-Aqsa a la Kaaba.

La batalla de Badr, apoyada por los ángeles

Hacia el segundo año de la migración de los musulmanes a Medina, los adoradores de ídolos de La Meca comenzaron una serie de actos hostiles contra los musulmanes que vivían en Medina. Enviaron hombres para destruir los árboles frutales de los musulmanes y llevarse sus rebaños. Pronto, Dios dio permiso al Profeta Muhammad y a los musulmanes para contraatacar y protegerse a sí mismos y a sus familias porque habían sido agraviados por los opresores adoradores de ídolos, que los habían expulsado de sus hogares en La Meca y les habían negado sus libertades y derechos básicos. El Profeta Muhammad y los musulmanes prepararon su estado militar.

Una fuerza de unos 1.300 hombres de los adoradores de ídolos de La Meca marchó bajo su líder Abu Jahl, el gran enemigo del Islam, hacia Medina y los musulmanes para atacarlos. El Profeta Muhammad, La paz sea con Él, había enviado exploradores y se enteró de que sus enemigos estaban en camino para matarlos.

Unos 313 musulmanes se reunieron en la llanura de Badr, situada cerca del mar entre La Meca y Medina, con sólo setenta camellos y tres caballos. Hicieron que sus hombres cabalgaran por turnos ya que no tenían suficientes camellos. Esta batalla se conoce como la Batalla de Badr porque ocurrió en el Valle de Badr. Los dos ejércitos se encontraron en el mes de Ramadán. El Profeta Muhammad, La paz sea con Él, pasó toda la noche rezando y suplicando a Dios, el Más Misericordioso, que su pequeño ejército musulmán no fuera destruido. Cuando los dos ejércitos se encontraron en el Valle de Badr, Alá, el Glorioso, apoyó a los musulmanes con 1.000 Ángeles que bajaron a luchar junto a ellos. Con la ayuda de los ángeles que Dios envió, los musulmanes pudieron derrotar a los adoradores de ídolos.

La batalla terminó con la huida de los adoradores de ídolos de La Meca con una gran pérdida. Varios de sus jefes y líderes murieron, entre ellos Abu Jahl. Setenta de los adoradores de ídolos de La Meca murieron mientras que sólo 15 musulmanes murieron como mártires. Los adoradores de ídolos también hicieron prisioneros de guerra a 70 de los suyos, que quedaron en manos de los musulmanes. Fueron tratados con gran humanidad, ya que el Profeta Muhammad tenía órdenes estrictas de tratar a los prisioneros de guerra con amabilidad, aunque intentaran matarlos. En esta época, era inaudito tratar a los prisioneros de guerra de esta manera. Los musulmanes hacían que los prisioneros de guerra montaran en sus animales mientras ellos caminaban. Los musulmanes también compartían su comida con los prisioneros de guerra, aunque tuvieran poca.

El reparto del botín de guerra creó cierto desacuerdo entre los musulmanes. El Profeta Muhammad lo repartió equitativamente entre su pueblo. Más tarde, una revelación del Corán dictaminó cómo dividir el botín de guerra en adelante. El Islam ganó nuevos conversos en Medina y fue creciendo.

Después de la batalla de Badr, surgió un grupo de hipócritas. En La Meca, no había razón para que uno se convirtiera en un hipócrita fingiendo ser musulmán, ya que el Islam estaba en la fase inicial y era débil y oprimido. Sólo una persona sincera y genuina se convertiría al Islam. Pero más tarde, cuando los musulmanes emigraron a Medina y el Islam comenzó a crecer en número y poder, aquel que no se declarara musulmán, permanecería al margen de la sociedad y se convertiría en uno de los pocos. Por lo tanto, un grupo que todavía creía en la idolatría en sus corazones y no creía ni se preocupaba por el Mensaje del Islam, sintió que no tenía otra opción que fingir que era musulmán, aunque en su corazón, no lo era. Algunos fingían ser musulmanes para obtener beneficios políticos y económicos. Los hipócritas sentían odio hacia el Profeta Muhammad y el Islam porque eran líderes de la ciudad de Yathrib y tuvieron que abandonar el liderazgo cuando el Profeta Muhammad y el Islam surgieron en su ciudad.

La batalla de Uhud-- Los arqueros musulmanes abandonan su puesto

La batalla de Badr dejó a los adoradores de ídolos de La Meca afligidos por su pérdida, y quisieron vengarse de los musulmanes. Más tarde, se produjo otra batalla entre los adoradores de ídolos de La Meca y los musulmanes, llamada la Batalla de Uhud, una colina situada a unas 4 millas al norte de la ciudad de Medina. Los adoradores de ídolos se prepararon mejor esta vez para atacar y vencer a los musulmanes. Los adoradores de ídolos reunieron un ejército de 3.000 hombres, 200 caballos e incluso dos docenas de sus mujeres bajo su líder actual, Abu Sufyan. Los musulmanes eran menos en número, unos 1.000 hombres y sólo un caballo. Más tarde, los musulmanes fueron abandonados por 300 de los hipócritas de los musulmanes, por lo que el número de musulmanes bajó a 700 hombres en lugar de 1.000.

El Profeta Muhammad sugirió que los musulmanes se quedaran dentro de la ciudad para recibir a los adoradores de ídolos desde allí, ya que los superaban en número, pero algunos de sus compañeros aconsejaron que salieran en marcha contra los adoradores de ídolos.

El Profeta Muhammad y los musulmanes ofrecieron sus oraciones por la mañana, y luego avanzaron hacia las llanuras para prepararse para la batalla. Cuando llegaron al lugar de la batalla, el Profeta Muhammad colocó a algunos de sus hombres de espaldas a la colina. El Profeta Muhammad colocó entonces a cincuenta arqueros musulmanes en la cima de la colina, detrás de las tropas musulmanas, para evitar que los adoradores de ídolos rodearan a los musulmanes, y para que pudieran tener una buena vista desde lejos. El Profeta Muhammad, La paz sea con Él, ordenó a los arqueros musulmanes en la cima de la colina que no abandonaran su puesto pasara lo que pasara, aunque vieran huir a los adoradores de ídolos, y fue muy estricto y claro al respecto.

Más tarde, los musulmanes estaban ganando la batalla, y parecía que los musulmanes habían derrotado a los adoradores de ídolos. Los arqueros musulmanes en la cima de la colina vieron que los adoradores de ídolos huían del campo de batalla y habían dejado algunas de sus cosas. Los arqueros musulmanes en la cima de la colina comenzaron a discutir entre ellos si debían bajar y tomar lo que los adoradores de ídolos habían dejado atrás. El líder de los arqueros musulmanes que el Profeta *Muhammad* designó les preguntó: *"¿Habéis olvidado lo que el Profeta Muhammad nos dijo?"*.

Cincuenta arqueros musulmanes que tenían instrucciones de no dejar su puesto abandonaron su posición, excepto diez de ellos. Esto permitió que los adoradores de ídolos de La Meca volvieran a dar la vuelta, subieran a la colina, atacaran a los musulmanes, los rodearan y sorprendieran por la espalda, y crearan un desorden total que hizo que los musulmanes perdieran.

El Profeta Muhammad, La paz sea con Él, llamó a sus compañeros para que regresaran, pero sólo quedaron doce hombres con el Profeta. El Profeta Muhamad fue alcanzado por las piedras, herido en la cara por dos flechas, y cayó inconsciente. Unos setenta o setenta y cinco de los musulmanes murieron en esta batalla, y entre ellos estaba el tío del Profeta, Hamza, la paz sea con todos ellos. De los adoradores de ídolos, murieron veintidós hombres.

La traición de las tribus judías de Medina

Después de que los musulmanes perdieran la batalla de Uhud, las tribus judías y árabes de Medina trataron a los musulmanes de forma diferente. La tribu judía de Banu Qaynuqa aumentó su hostilidad contra los musulmanes. Le dijeron al Profeta Muhammad, La paz sea con Él cuando vino a recordarles su tratado para que no se dejaran engañar por su victoria en la Batalla de Badr contra los adoradores de ídolos de Quraish ya que tenían poco conocimiento del arte de la guerra. También añadieron que si los musulmanes hubieran luchado contra ellos, verían cómo era la guerra en realidad y lo feroz que era su enemigo. También rompieron el tratado con los musulmanes al matar a un musulmán en el mercado. Entonces, el Profeta Muhammad, La paz sea con Él, terminó el tratado con ellos y los expulsó de la ciudad dándoles tres días para empacar sus cosas e irse.

Otra tribu judía de Medina, llamada Bani Nadhir, también rompió su tratado con los musulmanes al intentar matar al Profeta Muhammad, La paz sea con Él, pidiéndole que se sentara en un lugar concreto donde intentaron dejar caer un gran trozo de muro de una fortaleza. Pero el Ángel Gabriel le dijo al Profeta Muhammad lo que estaban tramando, y se levantó. El Profeta Muhammad no tuvo más remedio que expulsar a esta tribu judía también de Medina por sus malas acciones y su traición. El Profeta Muhammad les pidió que cogieran todas sus pertenencias y abandonaran la ciudad, lo que hicieron y se trasladaron a una ciudad vecina llamada Khaybar.

La batalla de la trinchera

Pronto, la tribu judía de los Bani Nadhir, que había sido expulsada de sus hogares por lo que había hecho a los musulmanes, quiso recuperar la tierra que había perdido y quiso acabar con los musulmanes. Empezaron a reclutar y a negociar alianzas con otras tribus, incluidos los adoradores de ídolos de La Meca. También negociaron con los hipócritas de los musulmanes para que les ayudaran a atacar a los musulmanes. Los enemigos del Islam también se dirigieron a la mayor tribu de beduinos de la zona y los sobornaron con la mitad de sus productos en Jaybar durante un año como pago si se unían a ellos en la batalla, lo que aceptaron.

En el quinto año de la migración de los musulmanes a Medina, Abu Sufyan, el líder de los no creyentes, partió con 10.000 hombres de diferentes tribus. Se trataba del mayor ejército jamás visto en la Península Arábiga en aquella época. Los musulmanes sólo tenían entre 2.500 y 3.000 hombres, por lo que se vieron superados en número una vez más.

Esta batalla se llamó la *Batalla de Al-Ahzab,* que se traduce como *La Batalla de los Confederados o de los Grupos* porque diferentes grupos de enemigos del Islam se unieron para atacar a los musulmanes. Esta batalla también se conoce como la Batalla de la Trinchera.

Los musulmanes necesitaban un plan para defenderse de los enemigos del Islam. Uno de los compañeros, Salman el Persa, La paz sea con Él, sugirió cavar una zanja profunda alrededor de la ciudad, dificultando el paso rápido de los enemigos. No era necesario cavar a través de toda la ciudad, ya que parte de la ciudad de Medina estaba cubierta de formaciones rocosas volcánicas, montañas, casas muy juntas y grandes plantaciones de árboles de dátiles, lo que hacía imposible el paso de grandes ejércitos. La excavación de una trinchera era una técnica utilizada por los persas, y era inédita para los árabes.

Todos los musulmanes, incluido el Profeta Muhammad y los niños, trabajaron juntos para cavar las trincheras utilizando sólo una pala cada uno. La trinchera tenía unos cinco metros de ancho y dos kilómetros de largo y se tardó entre una y dos semanas en cavarla. Una vez cavada la trinchera, esperaron a que llegaran los enemigos. Cuando llegaron, los enemigos del Islam vieron la zanja y se sorprendieron. Los enemigos del Islam se dieron cuenta de que no podrían saltar la zanja con sus animales debido a su anchura, y tampoco podrían bajar por ella con sus animales. Tendrían que bajar la zanja individualmente, poniéndose en riesgo de ser fácilmente golpeados por los musulmanes mientras bajaban.

Los enemigos del Islam acamparon fuera de las trincheras en sus tiendas para discutir su próximo movimiento. Entonces los enemigos decidieron enviar a alguien a la tribu judía que vivía dentro de Medina y pedirles que se unieran y les ayudaran a atacar a los musulmanes desde dentro. La tribu judía que vivía en el interior se negó al principio debido a su tratado con los musulmanes. Pero después de ser tentados, aceptaron unirse a los enemigos y atacar a los musulmanes desde dentro mientras los otros atacaban a los musulmanes desde fuera.

Una vez que los musulmanes se enteraron de que la tribu judía del interior había traicionado a los musulmanes, éstos entraron en pánico y se aterrorizaron, ya que estaban a punto de ser atacados tanto desde el interior como desde el exterior de la ciudad. El Profeta Muhammad, La paz sea con Él, envió a todas las mujeres y niños a la casa de uno de los compañeros que era ciego.

Entonces Dios, el Todopoderoso, envió fuertes vientos, una tormenta de arena, que nunca antes había golpeado la ciudad de Medina de esta manera. Las ollas de comida de los enemigos volaron y se derramaron por todas partes, y se hizo muy difícil ver algo. A los enemigos no les quedó más remedio que huir, cosa que hicieron, y fueron derrotados sin guerra. Los musulmanes eliminaron entonces a la tribu judía de Banu Qurayza que traicionó a los musulmanes, viviendo dentro de la ciudad de Medina.

El Tratado de Hudaybiyyah

El Profeta Muhammad tuvo un sueño en el que se veía a sí mismo entrando en La Meca sin oposición, haciendo el tawaf (rodeando la Kaaba) en ihram y afeitándose el pelo. Interpretó este sueño como que iba a realizar la Umrah (peregrinación menor). Así, el Profeta Muhammad y 1.400 de sus compañeros salieron a realizar la Umrah en La Meca.

Cuando el Profeta Muhammad y sus compañeros viajaban para realizar la Umrah, al acercarse, fueron advertidos de que los adoradores de ídolos de Quraish habían jurado impedir que el Profeta Muhammad y los musulmanes entraran en La Meca. El Profeta Muhammad decidió dar un rodeo, tomando otra ruta para evitar las tropas de Jalid bin Waleed. Entonces Dios Todopoderoso hizo que el camello del Profeta acampara en una llanura llamada Hudaybiyyah.

El Profeta Muhammad envió un emisario a los adoradores de ídolos de La Meca para hacerles saber que estaban aquí pacíficamente en una misión para la Umrah. Los adoradores de ídolos de La Meca también enviaron emisarios a los musulmanes. Entonces el Profeta Muhammad envió a Uthman Bin Affan debido a su parentesco con los líderes de Quraish en La Meca. Uthman Bin Affan negoció con Abu Sufiyan y otros líderes de los adoradores de ídolos de La Meca. La reunión duró más de lo esperado. Entonces empezó a correr el rumor de que Uthman Bin Affan había sido asesinado. El Profeta Muhammad, que estaba sentado bajo un árbol, y los musulmanes hicieron el juramento de que irían a La Meca a buscar venganza, y que, pasara lo que pasara, no huirían. Poco después, descubrieron que Uthman Bin Affan no había sido asesinado.

Pronto, el Profeta Muhammad explicó a los adoradores de ídolos de Quraish que sólo habían venido a realizar la peregrinación y que no tenían intención de luchar. Después de negociar de un lado a otro, ambos grupos firmaron la tregua de Hudaybiyyah. El tratado entre los musulmanes y los adoradores de ídolos de Quraish en La Meca establecía que no habría combates entre las dos partes durante diez años. Y si cualquier otra tribu de Arabia desea unirse a los musulmanes o a los adoradores de ídolos de Quraish, puede hacerlo. Ningún bando podrá atacar al otro, incluidas las tribus que se unan al tratado. El tratado también establecía que el Profeta Muhammad y los musulmanes debían regresar a Medina sin realizar la Umrah y que podrían realizar la peregrinación de la Umrah al año siguiente y permanecer tres días. El tratado también establecía que si alguien dejaba la Meca para ir a Medina, sería enviado de vuelta a la Meca, incluso si se convertía al Islam. Pero si un musulmán deja Medina para ir a La Meca, no necesita ser enviado de vuelta.

A los compañeros no les gustaron los términos del tratado, ya que les parecían desfavorables, y se sintieron decepcionados. Sin embargo, el Profeta aceptó, honró y acató el tratado. Algunos de los compañeros se dirigieron al Profeta Muhammad, La paz sea con Él. Le preguntaron al Profeta *'¿Dónde está la victoria que se nos prometió?'* y le preguntaron: *'¿No dijiste que íbamos a realizar la peregrinación?'* a lo que el Profeta Muhammad, La paz sea con Él, respondió: *'Sí, pero nunca dije que fuera este año.'*

Durante el viaje de regreso de Hudaybiyyah, Dios Todopoderoso reveló un capítulo del Sagrado Corán llamado *'Al-Fath (La Victoria)'. Dios* reveló que esta tregua fue realmente una gran victoria para los musulmanes. Con este nuevo tratado, la religión del Islam pudo florecer en la península arábiga y extenderse rápidamente. Los musulmanes pasaron de tener 1.400 hombres en esta reunión a 10.000 hombres, dos años después, para liberar La Meca. Muchas cosas buenas sucedieron en los dos años posteriores a la firma de este tratado. Los musulmanes fueron capaces de eliminar otras amenazas, incluyendo la tribu de Khaybar. Los musulmanes también lucharon contra los romanos, la poderosa superpotencia del mundo en ese momento. El Profeta Muhammad, La paz sea con Él, también envió cartas a los reyes de más allá de Arabia, llamándolos al Islam, incluyendo al Rey de Persia, el Negus de Abisinia, el Emperador de Bizancio, el Gobernador de Egipto, y otros - invitándolos a someterse al Islam.

La conquista de La Meca

Durante los dos años siguientes, diferentes tribus de los alrededores se unieron al bando musulmán o al de los adoradores de ídolos de La Meca. Una de las tribus que se unió al bando de los adoradores de ídolos fue la tribu de Bakr, y una de las tribus que se unió al bando musulmán fue la tribu de Banu Khuza'ah. Ambas tribus no se querían y tenían un historial de peleas entre ellas.

La tribu de Bakr, del lado de los adoradores de ídolos, pidió permiso a los adoradores de ídolos de La Meca si podían atacar y confiscar las pertenencias de la tribu de Khuza'ah, aunque eso fuera en contra del tratado. Los adoradores de ídolos de La Meca lo permitieron e incluso les proporcionaron algunas armas para ganar una parte de las ganancias que iban a confiscar. Los adoradores de ídolos de La Meca aconsejaron a la tribu de Bakr que atacara a la tribu de Khuza'ah en medio de la noche, para que nadie pudiera verlos y para que los musulmanes no los descubrieran.

Tras el ataque, la noticia llegó al Profeta Muhammad y a los musulmanes. Los adoradores de ídolos se pusieron nerviosos y decidieron enviar a su líder Abu Sufyan para que hablara con el Profeta Muhammad, La paz sea con Él, y le pidiera que se renovara el tratado existente. Sin embargo, el Profeta Muhammad, La paz sea con Él, no le aseguró que el tratado siguiera siendo válido porque lo habían roto.

Después de este acontecimiento, el Profeta Muhammad, La paz sea con Él, y los musulmanes levantaron un gran ejército de 10.000 hombres para atacar por sorpresa a los adoradores de ídolos de La Meca por lo que hicieron. Cuando los musulmanes llegaron a La Meca, la gente de La Meca se vio abrumada e incapaz de luchar contra los musulmanes. El Profeta Muhammad, La paz sea con Él, no luchó contra ellos y ofreció seguridad y protección a quien no luchara. Anunció a la gente de La Meca que cualquiera que se quedara en la Kaaba, o en sus casas, o en la casa de Abu Sufiyan - su líder que terminó convirtiéndose al Islam- estaría a salvo.

El Profeta Muhammad, La paz sea con Él, entró en La Meca con la cabeza inclinada en señal de humildad, tocando el lomo de su camello. También recorrió la Kaaba. El Profeta Muhammad y los musulmanes, la paz sea con ellos, conquistaron la ciudad de La Meca en una batalla incruenta. Este fue el fin de muchos años de persecución.

El Profeta Muhammad, La paz sea con Él, reunió a la gente de La Meca y les preguntó: *'Después de todas las cosas malas que habéis hecho, ¿qué creéis que debo haceros?* ' Ellos pidieron perdón, y el Profeta Muhammad, La paz sea con Él, respondió con la misma frase que el Profeta José dijo a sus hermanos: *'Ninguna culpa o daño recaerá sobre vosotros hoy, Alá os perdonará.* ' Entonces el Profeta Muhammad, La paz sea con Él, liberó a la gente de La Meca para que siguiera su camino.

Luego ordenó que se destruyeran todos los ídolos de la Kaaba, y participó en la destrucción de los 360 ídolos. El Profeta Muhammad, La paz sea con Él, señalaba un ídolo y éste caía al suelo. La Kaaba fue purificada de todos los ídolos. El Profeta Muhammad ordenó entonces a Bilal, La paz sea con Él, que tenía una voz fuerte y melodiosa, que llamara al Adhan -que se convirtió en el primer Adhan de la historia islámica desde la Kaaba- proclamando la adoración del Único Dios Verdadero.

El Hajj de despedida

Tras la conquista de La Meca, el Profeta Muhamad y muchos de sus compañeros regresaron a Medina. Era el noveno año de la Hijrah, conocido como el *"Año de las Delegaciones"*, ya que cada tribu de toda la Península Arábiga enviaba un grupo de representantes a saludar al Profeta Muhammad para declarar su lealtad y jurar su compromiso con él. El Profeta Muhammad y sus compañeros, la paz sea con ellos, recibieron a los grupos de representantes en la Mezquita del Profeta en Medina. Los representantes de cada tribu escucharon la recitación del Sagrado Corán, vieron rezar a los compañeros y aprendieron sobre el Islam del Profeta Muhamad, La paz sea con Él.

Muchos de los representantes creyeron en el Mensaje inmediatamente y quedaron satisfechos, y otros no aceptaron tan fácilmente como los demás. Los representantes de las tribus volvieron a su pueblo, llamándolos a aceptar el Islam, enseñándoles lo que habían aprendido y diciéndoles que debían deshacerse de todos sus ídolos. Finalmente, toda la península arábiga aceptó el islam.

En el décimo año de la Hijrah, Alá, el Glorioso, reveló la orden de realizar el Hajj para aquellos capaces de hacerlo. El Profeta Muhammad, La paz sea con Él, anunció que iba a realizar la peregrinación del Hayy a La Meca. Multitudes de personas -decenas de miles de personas de todas partes- se unieron a él: fue la mayor reunión de la Península Arábiga en ese momento.

A lo largo de la peregrinación del Hayy, el Profeta Muhammad pronunció varios sermones, incluido el famoso sermón principal: el día de Arafat desde la llanura de Arafat (Monte de la Misericordia). Allí declaró la igualdad y la solidaridad entre todos los musulmanes y les recordó todos los deberes que el Islam les había impuesto. Prohibió robar, matar a la gente, involucrarse en los intereses y mucho más. Ordenó a todos que fueran buenos y justos con sus esposas y mujeres. Les transmitió las famosas palabras: *"No hay superioridad de un árabe sobre un no árabe, ni de un no árabe sobre un árabe, ni de un blanco sobre un negro, ni de un negro sobre un blanco, excepto por la taqwa (piedad, temor a Dios y concisión de Dios)"*.

Les dijo que hay dos cosas a las que, si se aferran, no se extraviarán, y son el Libro de Alá; el Sagrado Corán y la Sunnah; las enseñanzas del último y definitivo Profeta, Muhammad La paz sea con Él. Les recordó que un día volverían ante su Señor, que les juzgará en función de sus actos. Al final, les preguntó: *"¿No he transmitido el Mensaje?"*. Los compañeros respondieron: *"¡Sí!"* Entonces el Profeta Muhammad levantó las manos en el aire, miró al cielo y dijo tres veces: *"¡Oh, Alá, tú eres testigo!*

El Profeta Muhammad regresa a Medina y fallece

Poco después, el Profeta Muhammad, La paz sea con Él, regresó a la ciudad de Medina. El Profeta Muhammad recibió su última Revelación de Dios. Ahora que la fe del Islam estaba bien establecida entre su pueblo y su comunidad, su misión llegaba a su fin.

Poco después, el Profeta Muhammad, La paz sea con Él, cayó enfermo durante 10 o 12 días aproximadamente al empeorar su fiebre en casa de su esposa Aisha, la paz sea con ella, la madre de los creyentes. Su cuerpo se calentaba y Aisha, la paz sea con ella, recitaba el Corán sobre él y lo refrescaba con una toalla húmeda.

Luego fallece tristemente en el regazo de su esposa, Aisha, la paz sea con ella. Sus compañeros estaban conmocionados y muy tristes por esta tragedia. Lo enterraron en el lugar exacto en el que murió, y sus compañeros rezaron por él individualmente.

Hoy, millones de musulmanes van a Medina y envían sus saludos a nuestro bendito Profeta. En el Sagrado Corán, Dios afirma que no envió al Profeta Muhammad, La paz sea con Él, sino como una misericordia para la humanidad. Su papel como líder del Estado Islámico fue asumido por Abu Bakr, La paz sea con Él.

Le animamos a que visite las distintas publicaciones y vídeos que aparecen en el blog de The Sincere Seeker en *https://www.thesincereseeker. com* o en el canal de YouTube de The Sincere Seeker. También te animamos a suscribirte al boletín de noticias de The Sincere Seeker y al canal de YouTube, para que te avisen cuando haya un nuevo post o vídeo disponible para su revisión.

Made in the USA
Middletown, DE
21 January 2023

22724279R00029